Emma et le mystère de la Joconde

Nadja
Julie Camel

playBac

Chapitre 1

Emma découvre
le musée du Louvre

– C'est pour toi, dit la maman d'Emma
un matin en lui tendant le téléphone.
C'est ta tante. Elle veut te parler.
C'est une bonne surprise pour Emma.
Elle adore sa tante Élisabeth, qui écrit
des livres pour les enfants. Celle-ci veut
inventer une histoire qui se passe
au **musée du Louvre**.
– Tu veux bien venir avec moi ?
Tu me donneras des idées, lui dit sa tante.

Le jour venu, Emma et sa tante
se retrouvent dans la cour principale
du musée, devant la **pyramide de verre**.

Emma est impressionnée par les splendides
bâtiments qui l'entourent.
– Les rois de France y ont habité, lui dit
sa tante.

Quand elles entrent pour acheter les billets,
beaucoup de monde attend devant
les caisses. Emma fait bien attention
à rester à côté de sa tante. Soudain,
dans la file d'attente, elle remarque
un tout petit garçon qui hésite à avancer.

Personne ne lui tient la main ; il a l'air
un peu perdu. Emma s'inquiète pour lui,
et tire sa tante par la manche. Le temps
qu'elle se retourne, l'enfant n'est plus là.
– Il est sûrement avec ses parents,
pense-t-elle rassurée.

En haut d'un grand escalier, une magnifique
statue de femme avec des ailes grandes
ouvertes semble s'élancer vers elles.
On l'appelle la « Victoire de Samothrace ».
Elle a été sculptée il y a plus de 2 000 ans
et découverte sur une île grecque.
Elle n'a pas de tête, et Emma essaie
d'imaginer à quoi elle ressemblait.
– Et si tu écrivais l'histoire d'une petite fille
qui joue à cache-cache, dit-elle. Derrière
un rocher, elle trouverait une statue,
et tout d'un coup la statue deviendrait
vivante, et…

Mais sa tante l'entraîne déjà dans une immense
salle décorée de dorures. Des tableaux
peints couvrent les plafonds et les murs.
C'est la galerie d'Apollon, où une partie
des bijoux et des couronnes des rois
de France sont exposés dans des vitrines.

– Et si c'était l'histoire d'un voleur,
propose Emma, un enfant le suivrait,
et découvrirait où il a caché les bijoux…

Chapitre 2

La Joconde

Sa tante n'a pas l'air convaincue par cette idée.
Pas plus que par la première. Emma est
un peu vexée. À ce moment, une petite
silhouette apparaît derrière un meuble,
et regarde vers Emma. Elle croit reconnaître
l'enfant qu'elle avait vu devant les caisses,
mais elle n'en est pas sûre.

Emma et sa tante parcourent de longues
salles remplies d'immenses tableaux.

Ils représentent tellement de personnages,
d'histoires différentes, souvent terribles.
Emma en a la tête qui tourne.

Dans l'une des salles, les visiteurs
se pressent contre un cordon tendu devant
un tableau. Il est accroché seul sur un mur,
et protégé par une vitre. Il s'agit du tableau
le plus connu au monde : *La Joconde*,
peint par Léonard de Vinci, il y a 500 ans.
C'est le portrait d'une femme, les bras
croisés, un léger sourire aux lèvres.
– Tout le monde se demande qui elle était,
lui explique sa tante. Et pourquoi
elle souriait. C'est un vrai mystère.

Tandis qu'elle contemple le tableau,
Emma sent soudain une petite main
se glisser dans la sienne. Avec stupéfaction,
elle découvre que c'est celle du même
enfant que tout à l'heure. Il est au bord
des larmes, et montre du doigt le portrait.
Emma ne comprend pas ce qu'il dit.
– Il veut sans doute mieux voir le tableau,
pense-t-elle, et elle le porte pour qu'il soit
à la bonne hauteur.

L'enfant gigote dans ses bras, glisse,
elle veut le retenir… Tout devient flou
autour d'elle, la lumière s'assombrit.
Emma se sent tomber. Elle croit alors voir
la dame du portrait décroiser lentement
les bras…

Chapitre 3

Un mystère...
résolu !

Quand elle rouvre les yeux, Emma n'est
plus dans le musée. Elle est dans une grande
pièce traversée de rayons de soleil,
qui passent à travers de hautes fenêtres.
Le petit garçon du musée est dans les bras
d'une femme assise dans un fauteuil,
et il a l'air très heureux. Debout devant
un **chevalet**, un homme en vêtements
anciens est en train de peindre la femme.

Il semble exaspéré et chasse l'enfant.
Celui-ci s'échappe en riant. Son **modèle**
reprend la pose, retenant son sourire.
C'est la Joconde. Mais en vrai !
Emma n'en croit pas ses yeux.

Elle est dans l'**atelier** de Léonard de Vinci !
Elle s'avance timidement, mais personne
ne fait attention à elle. Comme si elle était
invisible.

Le petit garçon revient. Cette fois,
il a une balle à la main, et s'amuse à la faire
rebondir.
– Andrea ! s'écrie l'artiste, les sourcils
froncés.

La balle roule par terre dans les taches
de peinture, jusqu'aux pieds d'Emma.
Elle ne peut pas s'empêcher de la ramasser,
et la tend à l'enfant, en oubliant qu'il ne
peut pas la voir. Mais à sa grande surprise,
il la regarde droit dans les yeux et dit :
– *È per te!*
Emma comprend alors ce qu'il dit,
même si c'est en italien :
« C'est pour toi. »

À cet instant, tout devient flou à nouveau,
et la lumière se fait plus forte. Emma est
de retour dans le musée, mais elle est par terre.
Elle a glissé au sol. Sa tante, inquiète, l'aide
à se relever.
– Ça va, ma chérie ?

Emma ne s'est pas fait mal, mais elle aimerait
bien rentrer chez elle, maintenant.
– Tant pis pour mon histoire, dit sa tante.
Je trouverai bien une idée.

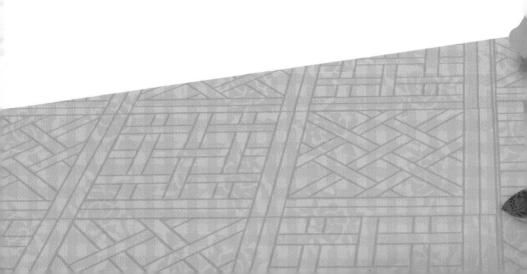

– Peut-être que la Joconde se retenait
de rire, à cause d'un petit garçon qui faisait
des bêtises…, commence Emma.
– Quelle bonne idée ! s'écrie sa tante.
Il ne me reste plus qu'à écrire l'histoire
de ce petit garçon ! Mais, dis-moi,
ajoute-t-elle, où as-tu trouvé cette balle ?

Dans sa main serrée, Emma tient une petite
balle pleine de taches colorées. C'est celle
que l'enfant lui a donnée, dans l'**atelier**
du grand peintre d'autrefois. Elle sourit sans
répondre. D'un sourire plein de mystère.

Joue avec Emma

Vrai ou faux ?

La tante d'Emma est guide touristique.

Dans la galerie d'Apollon, quelle histoire Emma propose-t-elle à sa tante ?

1. Celle d'une reine.
2. Celle d'un peintre.
3. Celle d'un voleur de bijoux.

Comment s'appelle le tableau le plus célèbre du monde ?

1. *La Joconde.*
2. *La Rotonde.*
3. *La Cojonde.*

Avec quoi le petit garçon joue-t-il dans l'atelier du peintre ?

1. Une balle.
2. Un cerceau.
3. Une poupée.

Réponses : Faux. 3. 1. 1.

Quel est le tableau de *La Joconde* ?

1.
2.
3.

Réponse : 3.

Trouve l'ombre qui correspond à la statue :

1.

3.

2.

Réponse : 2.

Retrouve dans la même collection

 **JAPON**

 **INDE**

 **RUSSIE**

 **ESPAGNE**

TAHITI

 **BRÉSIL**

 ÉTATS-UNIS

 **AMÉRIQUE**

 **JORDANIE**

 **CHINE**

 GROENLAND

 **SÉNÉGAL**

 **ITALIE**

 **ROYAUME-UNI**

 **AUSTRALIE**

Découvre les carnets créatifs Minimiki

JAPON **TAHITI** **INDE** **RUSSIE** **ESPAGNE**

BRÉSIL **ÉTATS-UNIS** **AMÉRIQUE** **JORDANIE** **CHINE**